Waterford School Library

D1469383

Y SIGUIÓ LLOVIENDO

David Shannon

SCHOLASTIC INC.

New York Toronto London Auckland Sydney
Mexico City New Delhi Hong Kong Buenos Aires

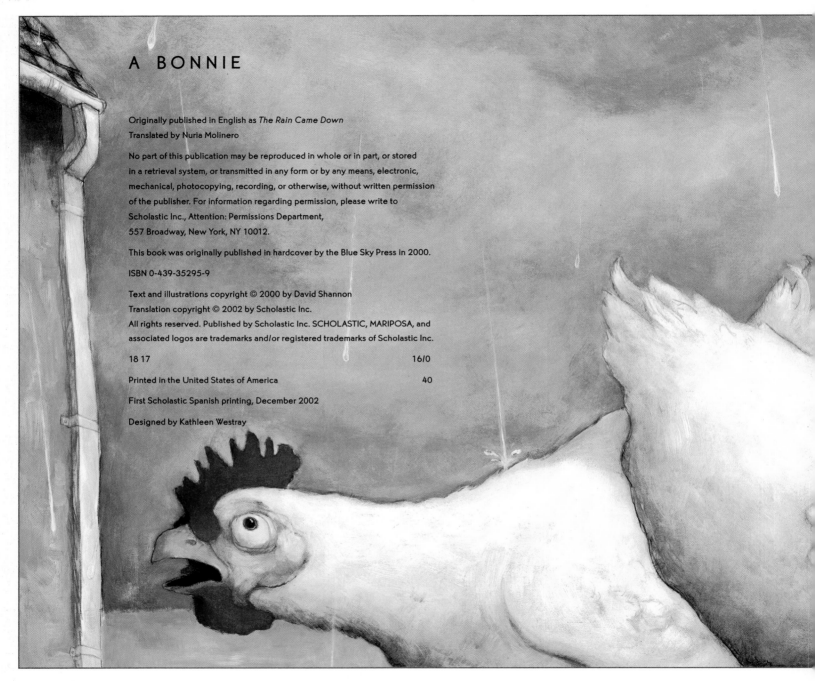

A BONNIE

Originally published in English as *The Rain Came Down*
Translated by Nuria Molinero

No part of this publication may be reproduced in whole or in part, or stored
in a retrieval system, or transmitted in any form or by any means, electronic,
mechanical, photocopying, recording, or otherwise, without written permission
of the publisher. For information regarding permission, please write to
Scholastic Inc., Attention: Permissions Department,
557 Broadway, New York, NY 10012.

This book was originally published in hardcover by the Blue Sky Press in 2000.

ISBN 0-439-35295-9

Text and illustrations copyright © 2000 by David Shannon
Translation copyright © 2002 by Scholastic Inc.
All rights reserved. Published by Scholastic Inc. SCHOLASTIC, MARIPOSA, and
associated logos are trademarks and/or registered trademarks of Scholastic Inc.

18 17   16/0

Printed in the United States of America   40

First Scholastic Spanish printing, December 2002

Designed by Kathleen Westray

El sábado por la mañana empezó a llover y

las gallinas se pusieron a cacarear.

El gato maulló a las gallinas y el perro ladró al gato.

Y siguió lloviendo.

El hombre gritó al perro y despertó al bebé.
—¡Deja de gritar! —chilló su esposa.

El perro ladró más fuerte.
Y siguió lloviendo.

Un policía escuchó el alboroto
y se detuvo para ver qué pasaba.

Su auto bloqueaba el tráfico y, a media cuadra de distancia,
había una mujer muy nerviosa dentro de un taxi.

—¡Apúrese o perderé mi avión! —le dijo al conductor del taxi.
Entonces el taxista empezó a tocar la bocina.

El conductor del camión que estaba delante se enojó y también
empezó a tocar la bocina.
—¡Tengo que entregar estos tomates! —gritó.

El heladero oyó las bocinas y subió el volumen
de la música de su furgoneta.

"Tin-Tin", sonaba la música.
"Flip-Flap", sonaban los limpiaparabrisas.
Y siguió lloviendo.

La dueña del salón de belleza salió para ver por qué había tanto alboroto.
Se chocó con el barbero que salía de la barbería y empezaron a discutir.

El pintor gruñó desde la escalera:
—Si llueve no puedo pintar.
Empezó a bajar y golpeó al barbero con la lata de pintura.
Entonces los tres se pusieron a discutir.

En ese momento el panadero salió de la panadería.
—¡Hay goteras en el tejado y mis pasteles se están mojando! —protestó.
Abrió el paraguas y se lo clavó en la nariz al hombre de la pizzería.
Así que ellos también empezaron a discutir.

Un niño corría detrás de un barco que se deslizaba por la corriente junto a
la acera. Salpicó a una niña que se puso a llorar.
Y siguió lloviendo.

El tendero salió de su tienda y gritó:
—¿Dónde está el camión del reparto? ¡Necesito esos tomates!
Tropezó con una señora que salía de una tienda de modas
y sus paquetes fueron a dar al puesto de fruta.

Naranjas, manzanas y limones rebotaron por la acera.
Y siguió lloviendo.

El policía volvió a su auto.
—¿Qué es todo este alboroto? —preguntó.
En toda la cuadra se oían bocinas, gritos, peleas y ladridos.

Y entonces...

¡dejó de llover!

Y la bulla cesó. Salió el sol y el aire era fresco y cálido. Todo brillaba y el arco iris salió por encima de los tejados.

—¡Es un día demasiado lindo para andar discutiendo! —dijo
el panadero—. ¡Tengo que hacer mis pasteles!
—¡Y yo tengo que hacer mis pizzas! —dijo el hombre de la pizzería.

—Podría afeitarme mientras se seca el edificio
—le dijo el pintor al barbero.
Y los dos entraron en la barbería.

El policía dijo:
—Me parece que todo está bien.

Y se fue en su auto.

La mujer del taxi decidió que tenía tiempo para arreglarse el cabello antes del viaje y entró en el salón de belleza.

Entonces la señora de los paquetes se subió al taxi y se fue a casa.

El conductor del camión le dijo al tendero:
—Aquí están los tomates.
—¡Fantástico! —dijo el tendero—, pero primero tengo que recoger esta fruta.

El niño y la niña ayudaron al tendero, y él les compró un helado a cada uno.
Y el hombre de los helados les regaló una bola extra porque
hacía un día muy lindo.

Entonces el hombre, su esposa y el bebé almorzaron
en el jardín mientras el perro, el gato y las gallinas
dormían bajo el cálido sol de la tarde.